Dominique Serafini ©1982

L'aventure de l'équipe COUSTEAU en bandes dessinées

L'île aux requins

Sérafini - Paccalet

ROBERT LAFFONT

© 1985 Éditions Robert Laffont, S.A., 6, place Saint-Sulpice 75006 Paris
Droits de reproduction réservés pour tous pays, y compris l'URSS
ISBN : 2.221.04500.9

DANS LE CIEL DE MONACO...

...UN ENVOL DE BALLONS SALUE LE DÉPART D'UN FAMEUX NAVIRE...

LA CALYPSO LARGUE LES AMARRES POUR UN TRÈS GRAND VOYAGE.
ELLE LONGE LE ROCHER SUR LEQUEL S'ÉLÈVE LE MUSÉE OCÉANOGRAPHIQUE, QUARTIER GÉNÉRAL DU COMMANDANT COUSTEAU, ET MET LE CAP AU SUD-EST, VERS L'ÉGYPTE...

LA CALYPSO TAILLE SA ROUTE EN MÉDITERRANÉE... AINSI COMMENCE SA PLUS IMPORTANTE CAMPAGNE D'EXPLORATION : CINQ ANNÉES DE RECHERCHES AUTOUR DU MONDE, DE LA MER ROUGE AU PACIFIQUE, EN PASSANT PAR L'OCÉAN INDIEN ET L'ATLANTIQUE.

C'EST LA CONCRÉTISATION D'UN RÊVE... CELUI DU COMMANDANT COUSTEAU ET DE SON FILS PHILIPPE : ÉTUDIER ET FILMER LES MYSTÈRES DE LA MER, EN RÉVÉLER LES BEAUTÉS SAUVAGES, ET SURTOUT FAIRE PRENDRE CONSCIENCE DE SA FRAGILITÉ.

PLONGEURS, CINÉASTES, MARINS, MÉCANICIENS, INGÉNIEURS, NAVIGATEURS, SCIENTIFIQUES, CUISTOT : TOUS PARTAGENT LA MÊME CURIOSITÉ, LA MÊME PASSION POUR LA MER. TOUS ONT LA MÊME SOIF D'AVENTURE. À BORD, NI RÈGLEMENT NI UNIFORME. UN SEUL POINT DE RALLIEMENT : LE BONNET ROUGE TRADITIONNEL DES PLONGEURS. EN MER ROUGE, L'ÉQUIPE DE LA CALYPSO, SOUS LA DIRECTION DE FALCO ET DE "CANOË", S'APPRÊTE À ÉTUDIER POUR LA PREMIÈRE FOIS LE COMPORTEMENT DES REQUINS EN PLEINE EAU. C'EST À CETTE ÉPREUVE DE VÉRITÉ QUE SONGENT LES HOMMES JUSQUE DANS LEUR SOMMEIL.

SYRIE
IRAN
ISRAEL
IRAK
SUEZ JORDANIE
ARABIE SAOUDITE
EGYPTE
YEMEN
SOUDAN
ADEN
DJIBOUTI
SOMALIE
ETHIOPIE

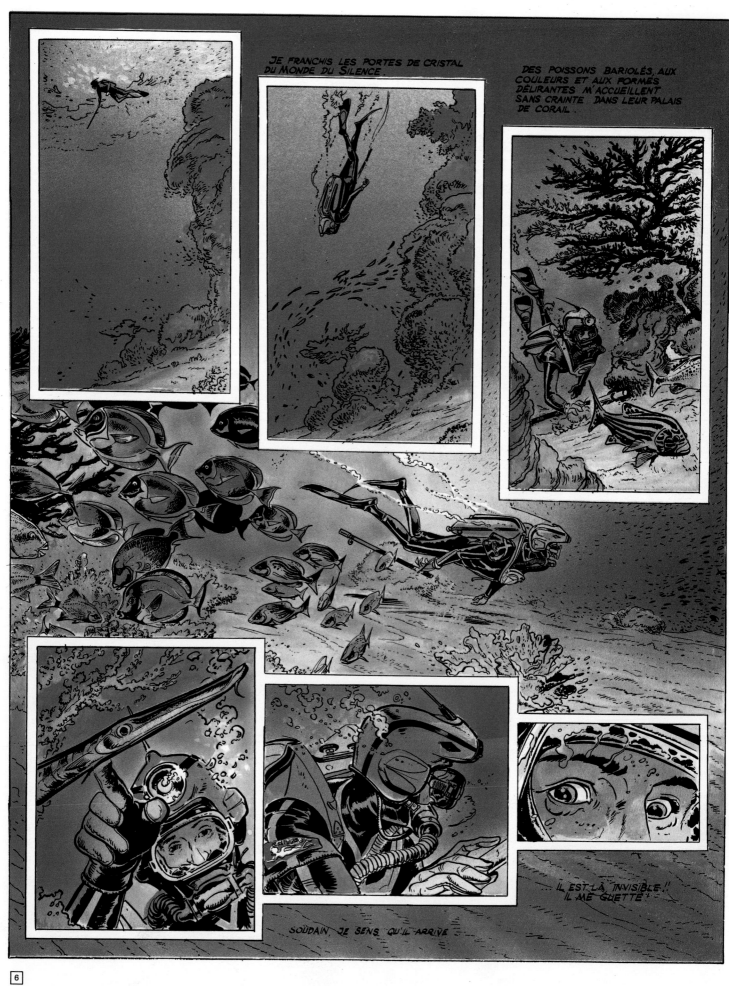

JE FRANCHIS LES PORTES DE CRISTAL DU MONDE DU SILENCE.

DES POISSONS BARIOLÉS, AUX COULEURS ET AUX FORMES DÉLIRANTES M'ACCUEILLENT SANS CRAINTE DANS LEUR PALAIS DE CORAIL.

SOUDAIN, JE SENS QU'IL ARRIVE.

IL EST LÀ, INVISIBLE !! IL ME GUETTE !

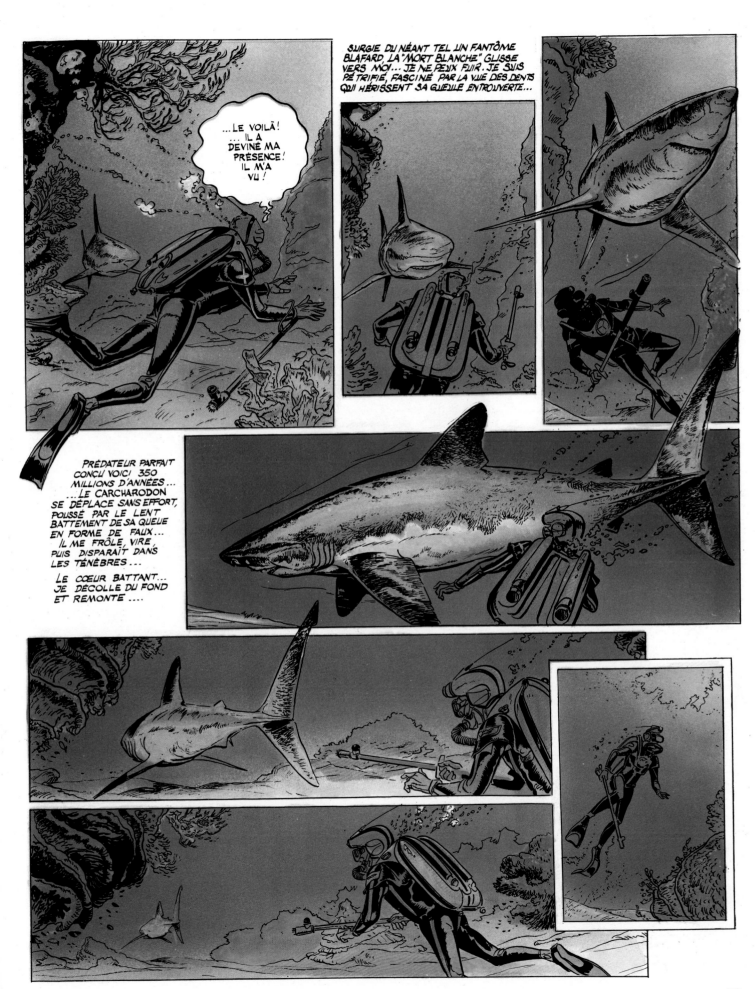

EN SURFACE RIEN JE SUIS SEUL SUR L'IMMENSITÉ DE LA MER

CALYPSO !!! CALYPSO !

CALYPSO ! NON... AU SECOURS !!

PAS ÇA !... LUI !... AAAAH !

LE REQUIN BLANC ! LE REQUIN BLANC ! NON !...

BON SANG ! QU'EST-CE QUI SE PASSE ? QUI A CRIÉ ?

C'ÉTAIT UN REQUIN DU LARGE ... LE GRAND "LONGIMANE", LE SQUALE AUX LONGS BRAS ... NOUS N'AVIONS JAMAIS RENCONTRÉ EN PLONGÉE CE TYPE DE PRÉDATEURS, MAIS NOUS ÉTIONS SI CONFIANTS QUE DUMAS N'HÉSITA PAS !... IL ESSAYA DE LUI TIRER LA QUEUE !

LUI TIRER LA QUEUE ! IL FAUT ÊTRE FOU POUR OSER UN TRUC PAREIL !

A MON AVIS, IL DEVAIT L'ÊTRE UN PEU À CETTE ÉPOQUE !

JE ME DEMANDE S'ILS ONT BEAUCOUP CHANGÉ DEPUIS !

JE RECONNAIS QUE NOUS ÉTIONS EXCESSIVEMENT CONFIANTS. MALHEUREUSEMENT, LE REQUIN MANQUAIT D'HUMOUR !

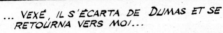

... VEXÉ, IL S'ÉCARTA DE DUMAS ET SE RETOURNA VERS MOI ...

TANDIS QUE JE FILMAIS, JE VIS SON MUSEAU GRANDIR, ET SOUDAIN, RÉALISAI QU'IL ME FONÇAIT DESSUS ! JE HURLAI POUR L'EFFRAYER ... EN VAIN ... ALORS JE FRAPPAI SON MUSEAU AVEC LE BOÎTIER DE LA CAMERA ...

SERAPM

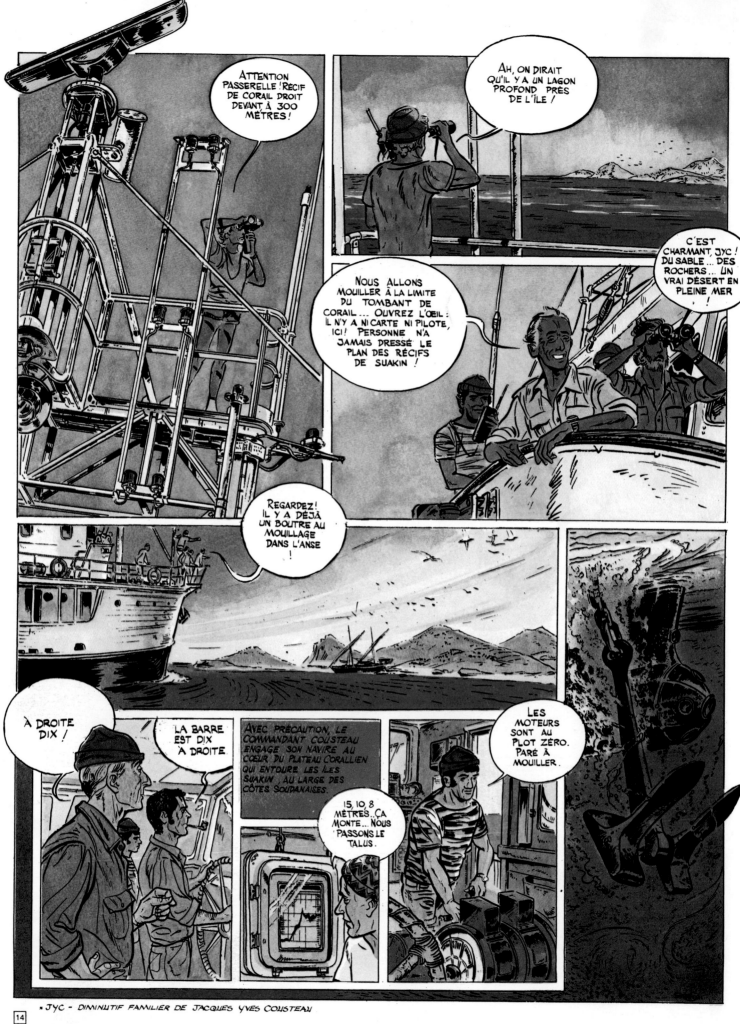

VOUS AVEZ PÊCHÉ CELUI-CI AU LARGE ISMAËL ?

...NON, SOUS LE BATEAU, CE MATIN... IL EST VENU, ATTIRÉ PAR L'ODEUR ET LES RESTES DES TROCAS* QUE NOUS JETONS...

PHILIPPE, FALCO, REGARDEZ, C'EST UNE FEMELLE PLEINE ! ELLE PORTE UNE VINGTAINE DE PETITS TOUS VIVANTS !

IL FAUT LES SAUVER. COUPONS LES CORDONS OMBILICAUX, ET REMETTONS-LES À L'EAU !

LES MARTEAUX FONT PARTIE DES REQUINS VIVIPARES. REGARDEZ, ILS SONT NOURRIS DANS LE VENTRE DE LEUR MÈRE PAR UNE SORTE DE CORDON OMBILICAL

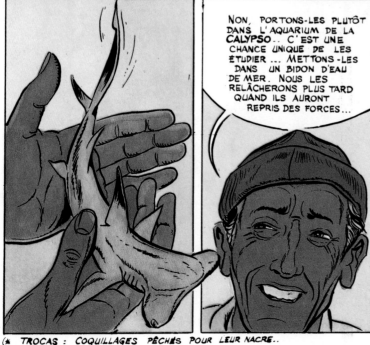

NON, PORTONS-LES PLUTÔT DANS L'AQUARIUM DE LA **CALYPSO**... C'EST UNE CHANCE UNIQUE DE LES ÉTUDIER... METTONS-LES DANS UN BIDON D'EAU DE MER. NOUS LES RELÂCHERONS PLUS TARD QUAND ILS AURONT REPRIS DES FORCES...

A BIENTÔT CAPTAIN COUSTEAU...TU SAUVES PEUT-ÊTRE CEUX QUI DEMAIN TE MORDRONT...

QUI SAIT ISMAËL, QUI SAIT...? ILS SONT MOINS DANGEREUX QUE BIEN DES HOMMES !

(* TROCAS : COQUILLAGES PÊCHÉS POUR LEUR NACRE..

17

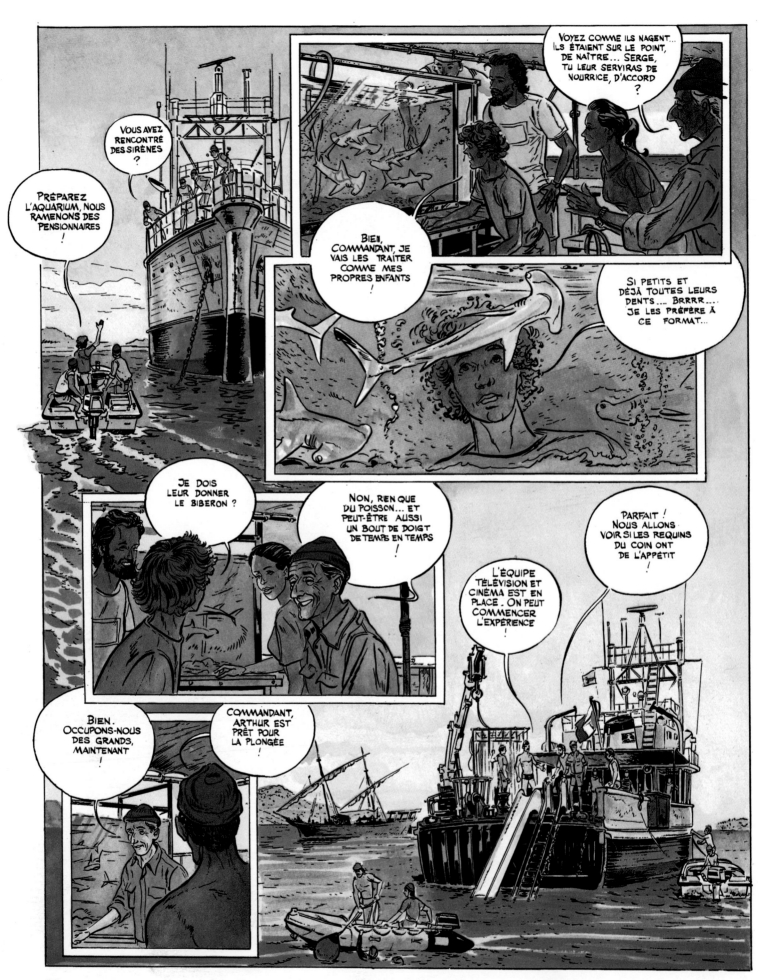

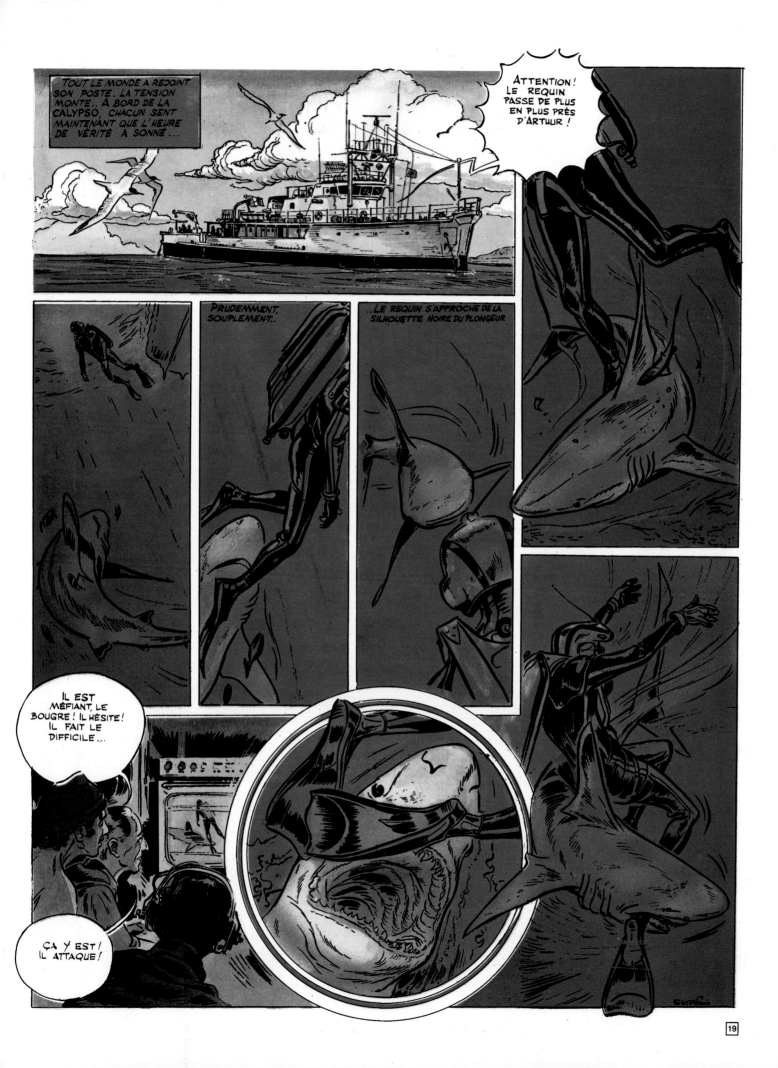

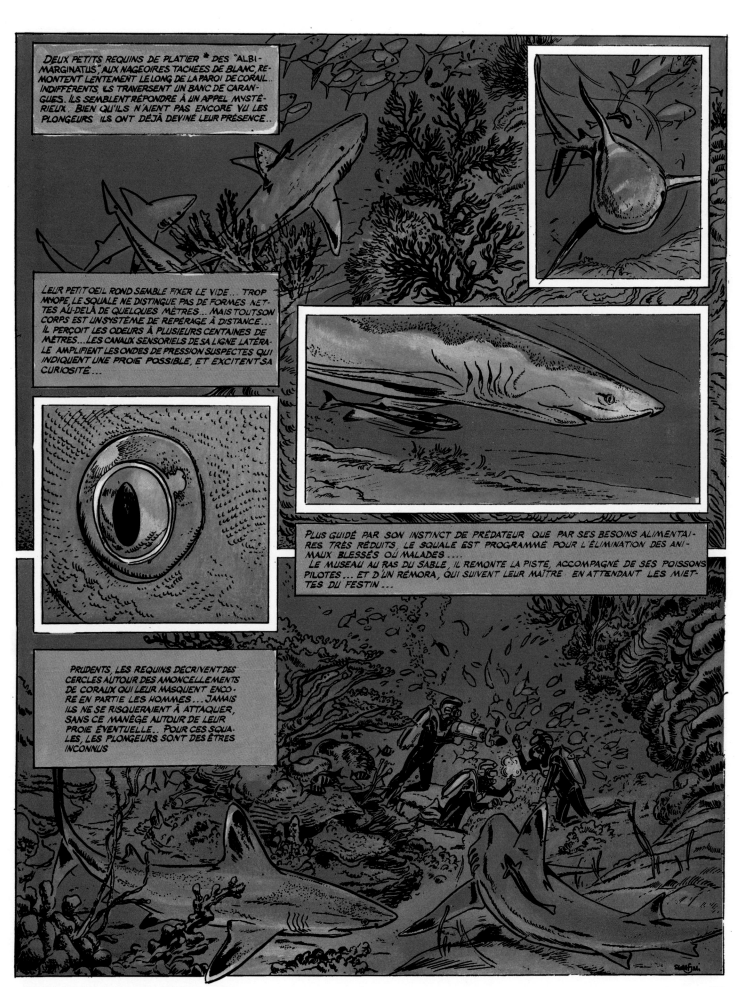

DEUX PETITS REQUINS DE PLATIER * DES "ALBI-MARGINATUS", AUX NAGEOIRES TACHÉES DE BLANC, REMONTENT LENTEMENT LE LONG DE LA PAROI DE CORAIL... INDIFFÉRENTS, ILS TRAVERSENT UN BANC DE CARANGUES. ILS SEMBLENT RÉPONDRE À UN APPEL MYSTÉRIEUX. BIEN QU'ILS N'AIENT PAS ENCORE VU LES PLONGEURS ILS ONT DÉJÀ DEVINÉ LEUR PRÉSENCE...

LEUR PETIT OEIL ROND SEMBLE FIXER LE VIDE... TROP MYOPE, LE SQUALE NE DISTINGUE PAS DE FORMES NETTES AU-DELÀ DE QUELQUES MÈTRES... MAIS TOUT SON CORPS EST UN SYSTÈME DE REPÉRAGE À DISTANCE... IL PERÇOIT LES ODEURS À PLUSIEURS CENTAINES DE MÈTRES... LES CANAUX SENSORIELS DE SA LIGNE LATÉRALE AMPLIFIENT LES ONDES DE PRESSION SUSPECTES QUI INDIQUENT UNE PROIE POSSIBLE, ET EXCITENT SA CURIOSITÉ...

PLUS GUIDÉ PAR SON INSTINCT DE PRÉDATEUR QUE PAR SES BESOINS ALIMENTAIRES TRÈS RÉDUITS, LE SQUALE EST PROGRAMMÉ POUR L'ÉLIMINATION DES ANIMAUX BLESSÉS OU MALADES.... LE MUSEAU AU RAS DU SABLE, IL REMONTE LA PISTE, ACCOMPAGNÉ DE SES POISSONS PILOTES... ET D'UN RÉMORA, QUI SUIVENT LEUR MAÎTRE EN ATTENDANT LES MIETTES DU FESTIN...

PRUDENTS, LES REQUINS DÉCRIVENT DES CERCLES AUTOUR DES AMONCELLEMENTS DE CORAUX QUI LEUR MASQUENT ENCORE EN PARTIE LES HOMMES... JAMAIS ILS NE SE RISQUERAIENT À ATTAQUER, SANS CE MANÈGE AUTOUR DE LEUR PROIE ÉVENTUELLE... POUR CES SQUALES, LES PLONGEURS SONT DES ÊTRES INCONNUS

* REQUIN QUI VIT EN HAUT DU PLATEAU CORALLIEN.

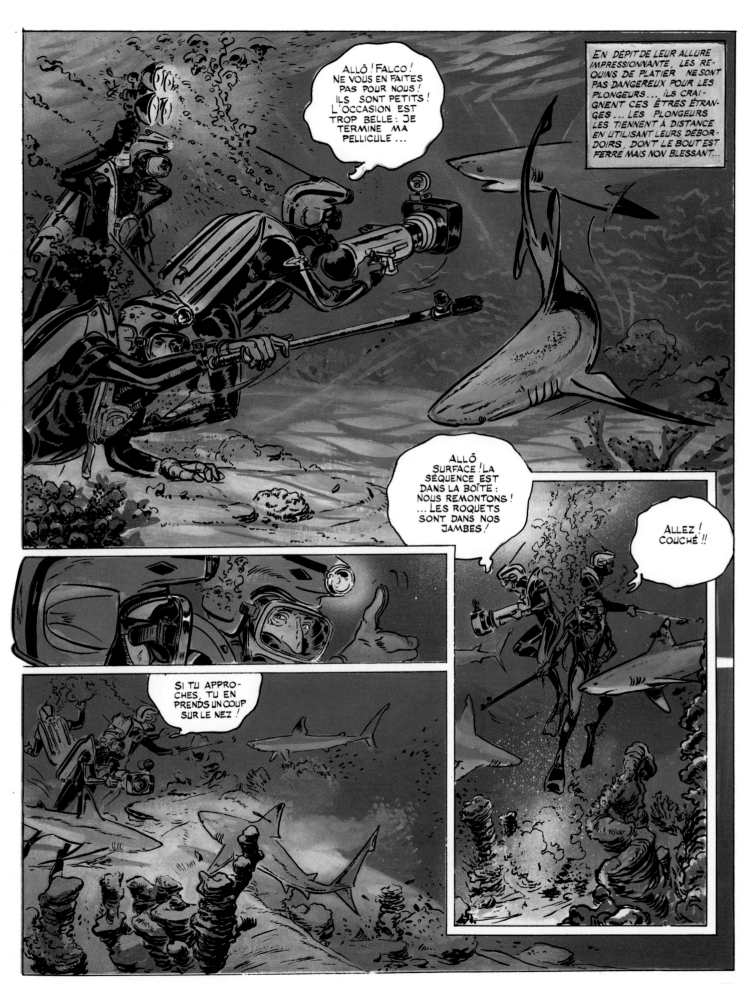

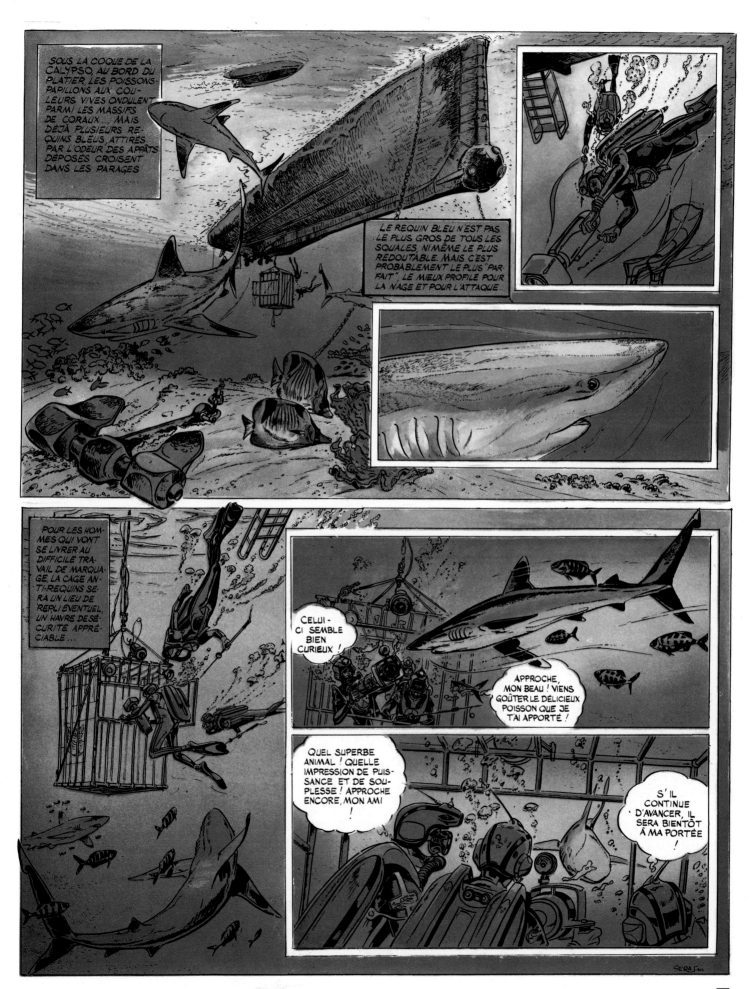

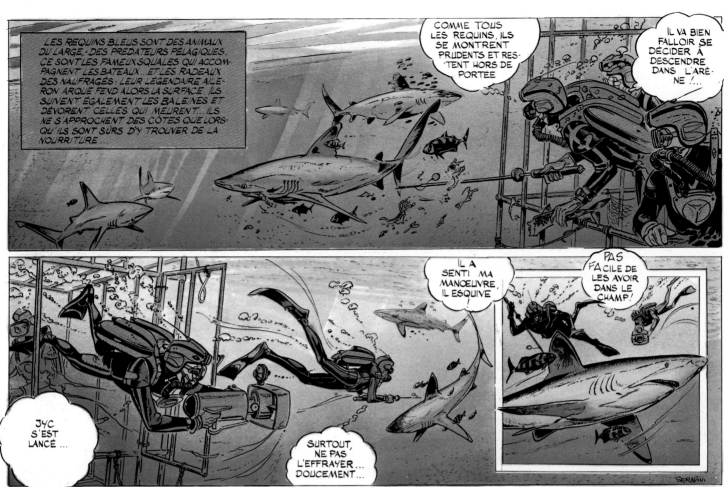

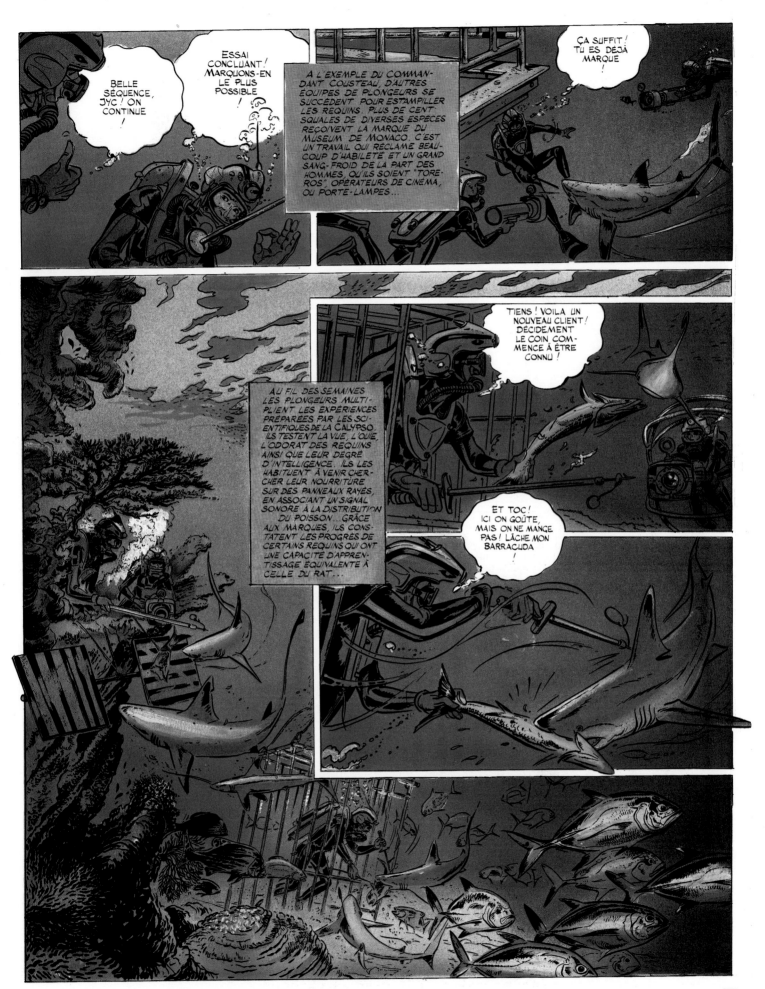

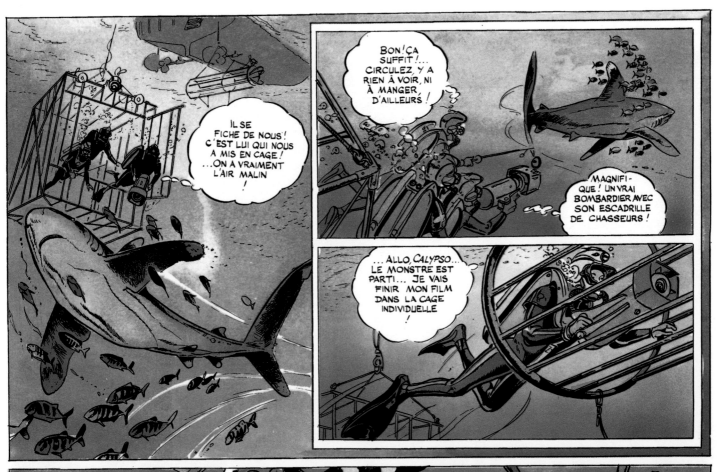

BRRR !... VRAIMENT, J'AI VÉCU LES ÉMOTIONS D'UN CANARI EN CAGE FACE À UN CHAT ENRAGÉ !...

DOMMAGE QUE TU N'AIES PAS PU FILMER CETTE SÉQUENCE !

ENCORE UNE FOIS C'ÉTAIT UN "LONGIMANE", LA MÊME ESPÈCE QUI M'AVAIT CHARGÉ EN ATLANTI-QUE !

IL DOIVENT AVOIR UNE UNE DENT CONTRE L'ÉQUIPE COUSTEAU !... ÇA DEVIENT UNE AFFAIRE DE FAMILLE !

DIRE QUE JE COMMENÇAIS À M'HABITUER À EUX... ILS AVAIENT L'AIR SI FAMILIERS CES DER-NIERS JOURS...

JUSTEMENT ! SANS DOUTE UN PEU TROP ! NOUS AVONS PERDU NOTRE MÉFIANCE... EUX AUSSI... ILS N'ONT PLUS PEUR DE NOUS... C'EST UNE BONNE LEÇON POUR NOUS !

COMME TOUS LES PRÉ-DATEURS, LES SQUALES OBÉIS-SENT À LEUR INSTINCT !

ILS NE SONT PAS PLUS CRUELS QUE LES OISEAUX DE MER... COMME EUX, ILS ONT LEUR PLACE DANS LA CHAÎNE ALIMENTAIRE...

BON, MOI, LES ÉMO-TIONS M'ONT ÉPUISÉ ! JE VAIS GRIGNOTER UNE BRI-COLE, ET AU LIT !... QUEL EST LE PROGRAMME CE SOIR ?

NOUS AVONS PRÉVU UNE PLONGÉE DE NUIT LE LONG DU TOMBANT DE CORAIL AVEC LA SOUCOUPE... JE DES-CENDS AVEC FALCO !

JE SUIS CURIEUX D'OBSERVER LE COMPORTEMENT NOCTURNE DES RE-QUINS... CHASSENT-ILS, OU DORMENT-ILS LA NUIT ?

C'EST LE GENRE D'ENQUÊTE QU'IL VAUT MIEUX MENER À L'ABRI DES PAROIS D'ACIER DE LA SOUCOUPE !

... 80, 100, 120, MÈTRES, LA SOUCOUPE DESCEND LE LONG DE LA PAROI, ÉCLAIRANT ET FILMANT LES GORGONES ET LES BUISSONS DE CORAIL ...

FOND EN VUE ! OH ! REGARDEZ AU PIED DE LA FALAISE !

MAIS ... ON DIRAIT UN POISSON QUI MARCHE !

UN POISSON CRAPAUD ! AVEC DES PATTES ! INCROYABLE !

PENDANT QUE JE FILME, ESSAYEZ DE LE CAPTURER AVEC LA PINCE !

APRÈS PLUSIEURS TENTATIVES, FALCO RÉUSSIT ENFIN À ATTRAPER L'ÉTRANGE CRÉATURE

ÇA Y EST, JE L'AI ! ... OH, COMMANDANT ! ATTENTION À GAUCHE !

ATTIRÉ PAR LES MOUVEMENTS DU POISSON CAPTURÉ, UN REQUIN DE GRAND FOND S'APPROCHE EN ONDULANT.

UN "GRISET HEXANCHUS" ESPÈCE PRIMITIVE DE REQUIN, RECONNAISSABLE À SES SIX FENTES BRANCHIALES ... ÉVOLUE MALADROITEMENT AUTOUR DE LA SOUCOUPE, ÉBLOUI PAR LA LUEUR DES PROJECTEURS ...

IL EST PARTI NON, LE REVOILÀ ! IL DOIT BIEN PESER SES 300 À 350 KILOS !

IL S'AFFOLE ! IL VA NOUS FONCER DEDANS !

L'ÉNORME REQUIN HEURTE LA SOUCOUPE, S'ENFUIT, ÉBRANLE VIOLEMMENT LA FALAISE DE CORAIL, SOULÈVE UN NUAGE DE BOUE NOIRE ET DISPARAÎT DANS LES TÉNÈBRES DES PROFONDEURS

ÇA SE GÂTE ! LES REQUINS S'ÉNERVENT ET S'ENHARDISSENT !... ORDRE AUX PLONGEURS !.. REMONTEZ IMMÉDIATEMENT !...

ALLO SURFACE !... HISSEZ LA CAGE ANTI REQUINS ! LES SQUALES PASSENT À L'ATTAQUE !

ACCÉLÉREZ LA MANŒUVRE, À LA GRUE ! C'EST LA FRÉNÉSIE, LÀ-DESSOUS !

DU CALME, OH ! ..ET LES PALIERS !!

ENFIN, LES PLONGEURS ARRIVENT EN SURFACE.

ATTENTION !!!

DÉPÊCHEZ-VOUS, BON SANG !

EH ! REGARDEZ !... IL Y A UN REQUIN SUR LA CAGE !

...APRÈS QUE LA CAGE A ÉTÉ REMONTÉE, LA SOUCOUPE EST À SON TOUR HISSÉE SUR LA PLAGE ARRIÈRE DE LA CALYPSO...

OUF !... ALORS, PAS DE BLESSÉS ?

SI ! LES DEUX CINÉASTES ! UN TRUC INCROYABLE ! LE TOUBIB LES SOIGNE AU CARRÉ !

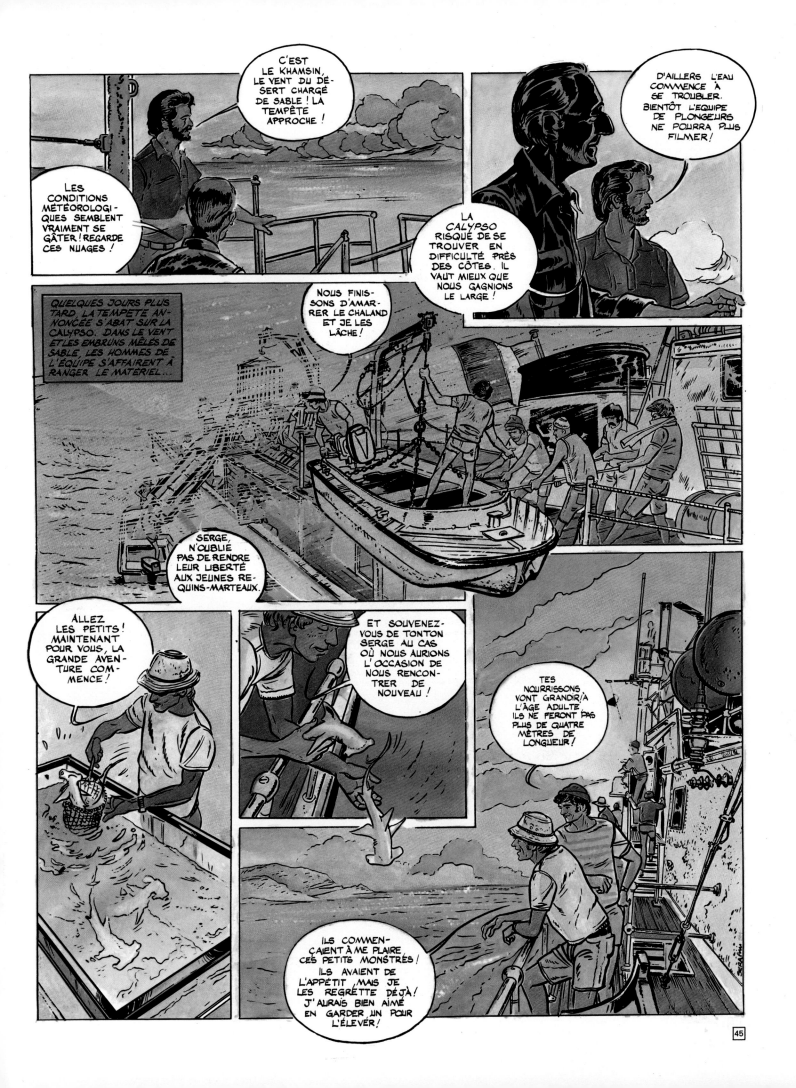

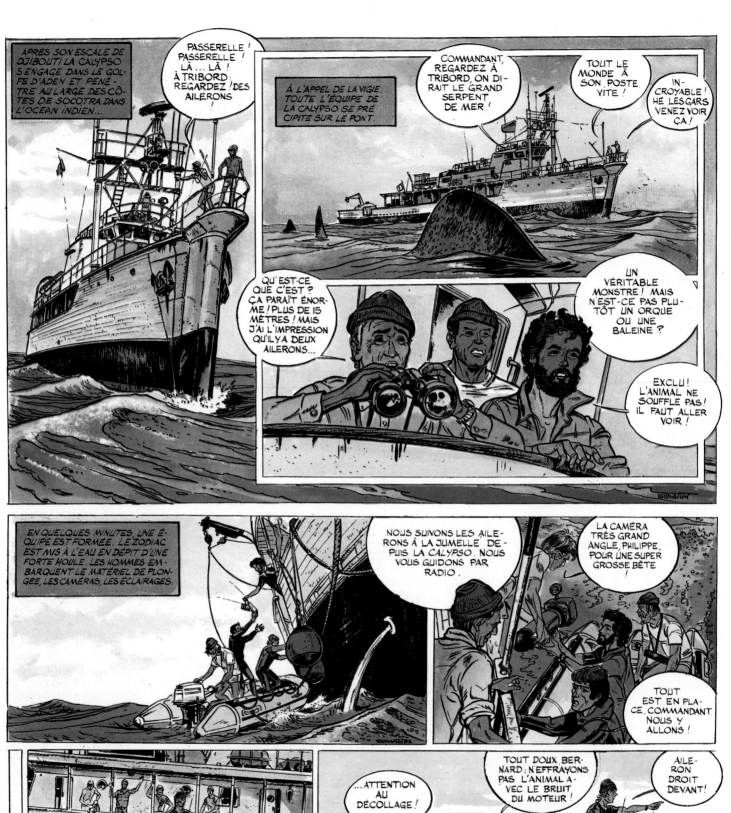

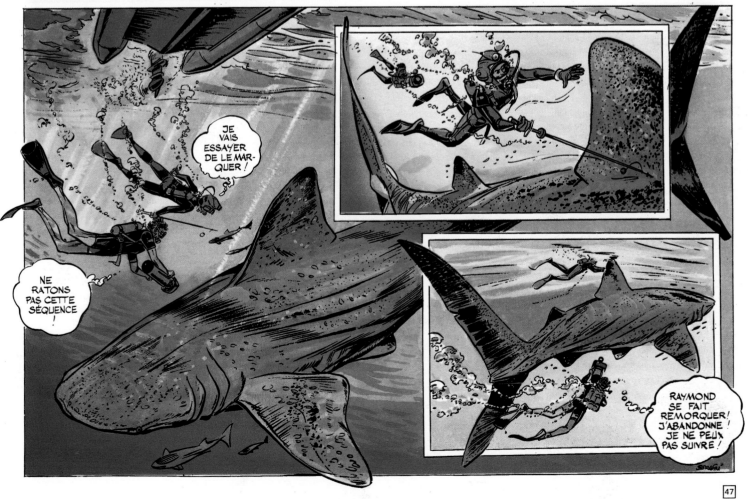

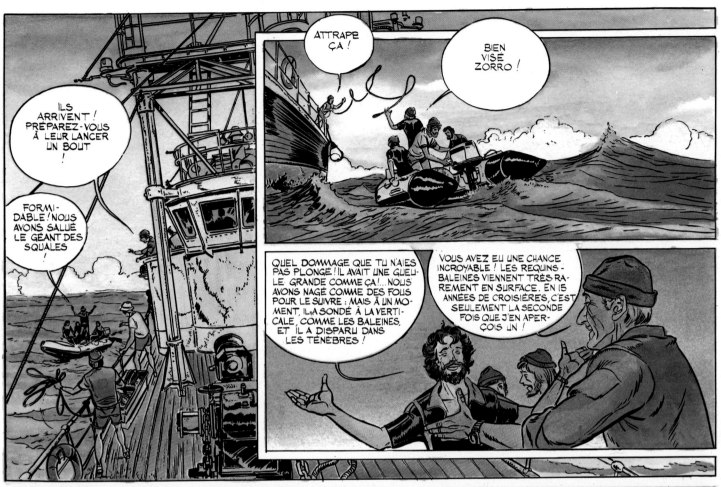

Imprimé par MAURY S.A. et relié par A. BRUN à Malesherbes. Dépôt légal : octobre 85. N° d'éditeur : 5806. N° d'imprimeur : I85/17255